風はどこから吹いてくる

そもそもなぜをサイエンス 2

鈴木邦夫 著　大橋慶子 絵

目次

風の正体は「移動する空気」	▶p02
あたためられた空気はふくらみ、冷やされた空気はちぢむ	▶p04
気温差ができると風が吹く	▶p06
海から吹く風、陸から吹く風	▶p08
山から吹く風、谷から吹く風	▶p10
大気には圧力がある	▶p12
大気圧の大きさ	▶p14
大気圧の大きさを測る	▶p16
風は大気圧が高いほうから低いほうへ吹く ― 風を起こす力	▶p18
地上で風を吹き出す高気圧、風が吹き込む低気圧	▶p20
地球のあたためられ方	▶p22
赤道から極へ、極から赤道へ ── 地球規模で吹く風	▶p24
夏のしめった暑い風は太平洋高気圧から吹いてくる	▶p26
冬の冷たい風はシベリア高気圧から吹いてくる	▶p28
上空を吹く高速の風 ── ジェット気流	▶p30
台風の生まれ方	▶p32
台風のふるさとと進路	▶p34
地上最強の風 ── たつまき（トルネード）	▶p36
山をこえて、変身する風 ── フェーン現象	▶p38

大月書店

風の正体は「移動する空気」

さわやかな風、強い風、冷たい風、じめじめした風。
いろいろな風が、いろいろな方向から吹いてきます。
風は、どこで生まれて、どのようにして
私たちのところまでやってくるのでしょうか？

▲荻（オギ）、別名「風聞草」（カゼキキグサ）

　強い風が吹いているとき、風をつかまえてみませんか。上の図のように風がくる方向にむかって、ポリ袋の口をあけます。そうすると袋を動かさなくても風が入ってきて袋がふくらみます。風で袋がふくらんだら、逃げられないように袋の口を閉じましょう。

　さて、袋のなかに入った風の正体は何でしょう。袋の口をしばって手でおすと手ごたえを感じて、何か入っていることがわかります。入っているのは無色透明の気体です。この気体を「空気」といいます。

　私たちのまわりには空気がありますが、風がないときは、ポリ袋の口を開けただけでは、ふくらむほどは入ってきません。風があって、はじめてふくらみます。それは空気が移動して袋に入るからです。つまり風の正体は「移動する空気」なのです。

俵屋宗達の『風神雷神図』の風神▲
「風をつかさどる神」とされている。

あたためられた空気はふくらみ、冷やされた空気はちぢむ

　風は「移動する空気」でした。空気には、あたためられるとふくらみ、冷やされるとちぢむ性質があります。

　たとえば、ガラスびんにポリぶくろを取りつけて、ビニールテープなどで固定します。びんを湯につけるとふくろがふくらみます。びんのなかの空気があたためられてふくらんだためです。反対にびんを氷水に入れてしばらくすると、ふくろはちぢみます。びんのなかの空気が冷やされてちぢんだためです。

小さいガラスのびんのくちに、図のようなポリぶくろをビニールテープではりつける。

びんを湯であたためると、なかの空気がふくらんで、ポリぶくろもふくらむ。

びんを氷水で冷やすと、なかの空気がちぢんで、ポリぶくろもちぢむ。

気球は空気をあたためてふくらませる

　地球をとりまく空気のことを「大気」といいます。太陽の光を受けて地表の温度が高くなると、地表から出る熱で大気があたためられて、そこの温度（気温）も高くなります。反対に地表の温度が低ければ気温も低くなります。そして地表に接する大気はあたためられればふくらみ、冷やされればちぢみます。

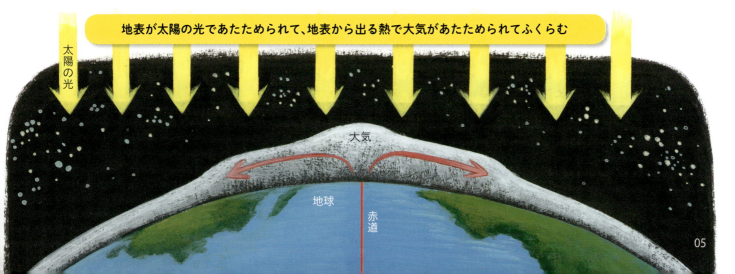

地表が太陽の光であたためられて、地表から出る熱で大気があたためられてふくらむ

太陽の光　大気　地球　赤道

気温差ができると風が吹く

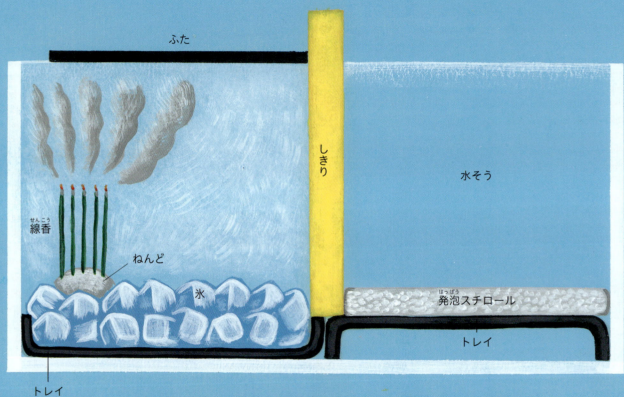

大気に気温差ができると風が吹きます。それをかんたんな実験でたしかめてみましょう。上の図のように、水そうを仕切りでわけて、左側のトレイに氷水を入れて空気を冷やし、空気の流れが見やすいように線香のけむりをためます。右側はトレイをさかさまにして氷と同じ高さになるように発泡スチロールをのせます。しきりを境にして左側が冷たい空気、右側があたたかい空気です。氷の近くの空気は冷やされてちぢんでいます。

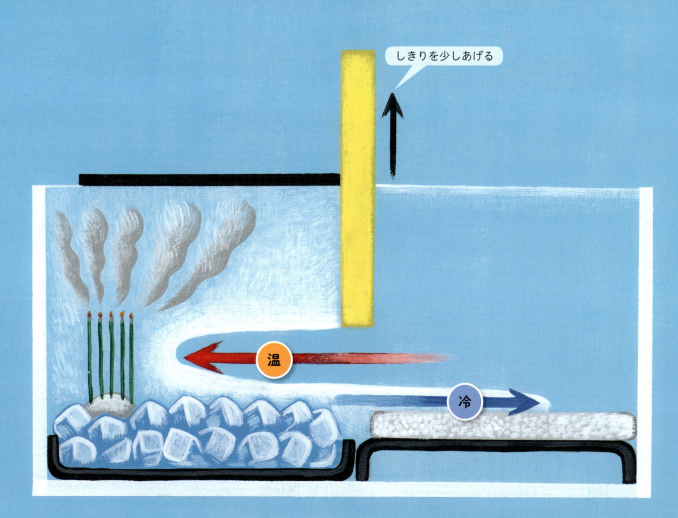

　しきりをはずすと、赤い矢印のようにあたたかい空気は冷たい空気のほうへ、青い矢印のように冷たい空気はあたたかい空気のほうへ水平に移動します。つまり風が吹きます。自然界でも同じように、となりあう大気に気温差ができると風が吹きます。そして、風によって気温差がなくなると風は止みます。

海から吹く風、陸から吹く風

　夏の晴れた昼間に海から陸に吹く風を「海風（かいふう）」といいます。夏の晴れた夜に、陸から海へ吹く風を「陸風（りくふう）」といいます。両方あわせて「海陸風（かいりくふう）」といいます。どちらも、となりあう大気に気温差ができるために吹く風です。

　夏の晴れた昼、砂浜は熱くて素足ではあるけないほど高温になりますが、海のなかは低温で快適です。砂のほうが海水にくらべてあたたまりやすく冷めやすいためです。地表があたためられると、地表付近の大気もあたためられて、海より陸のほうが気温が高くなります。

気温の高い陸側の大気はふくらみ、気温の低い海側の大気と接するようになります。
気温差のある大気が接すると、やがて大気は移動し、風が吹きます。

上空では気温の高い風が陸から海へ吹き（赤い矢印）、地表付近では気温の低い風が海から陸へ吹きます（青い矢印）。
地表に住んでいる私たちは海から陸へ吹く風をからだで感じて、それを「海風」とよんでいるのです。

夕なぎ

風が吹くことによって、気温の差がなくなると風は止みます。
風のない状態を「なぎ（凪）」といいます。その時間が夕方ごろのものを「夕なぎ（凪）」といいます。

陸風

夜になると、図のように冷めやすい陸の温度が海よりも低くなります。気温も陸のほうが低くなって大気がちぢみます。
気温差ができると、やがて大気は移動し、風が吹きます。上空では気温の高い風が海から陸へ吹き（赤い矢印）、
地表付近では気温の低い風が陸から海へ吹きます（青い矢印）。これを「陸風」といいます。

朝なぎ

朝になると気温差がなくなって再びなぎ（朝凪）となります。

山から吹く風、谷から吹く風

　同じ高さの大気に気温差ができると風が吹きます。

　晴れて日が当たると、地表の温度が上がり、地表付近の気温が上がることで、大気があたためられて、ふくらみます。こうして、あたたかい大気が山頂付近（図のA）に集まります。

　上の図のように、山頂と同じ高さの大気（B）と、山頂付近の大気（A）とのあいだに気温差ができます。同じ高さの大気に気温差ができると空気が移動し、風が吹きます。

　下の図のように、上空では気温の高い風が山から平野にむかって水平に吹き出し、地表に近いところでは、気温の低い風が平野から山に向かって水平に吹きます。風は山にぶつかって山肌をかけ上がります。この風を「谷風」といいます。

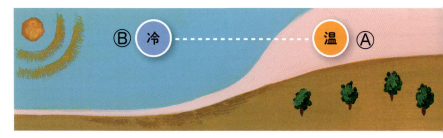

地表近くの気温の高い大気がふくらみ、山頂付近に集まる。図のAとBに気温差ができる。

上空では、あたたかい大気が冷たい大気のほうへ移動し、AからBへ風が吹く。

地表では、冷たい大気があたたかい大気のほうへ移動し、山をかけ上がる（谷風）。

夜になると、地表の温度が急に下がり、地表付近の気温も下がります。気温の低い大気はちぢみ、上の図のように山頂付近の大気（A）と同じ高さの大気（B）との間に気温差ができます。気温差のある大気が接すると風が吹きます。

下の図のように山頂付近ではあたたかい風が山に向かって水平に吹き、山肌の冷たい大気は平野に向かって吹きます。これを「山風」といいます。

昼の谷風と夜の山風を合わせて、「山谷風」といいます。

夜になると、地表の近くの気温が下がり、山頂付近の大気Aと同じ高さのBで気温差ができる。

山頂付近にまわりのあたたかい大気が入りこんでくる。

山頂付近の冷たい空気が、山を下る（山風）。

約11km 対流圏

大気には圧力がある

私たちが住んでいる地球の直径は約13000kmです。その地球を大気がとりまいています。大気圏は上空約1000kmぐらいまでありますが、雲ができ天気が変わる範囲は地上から約11kmまでで、「対流圏」といいます（1巻6ページ参照）。対流圏の厚さは地球の直径の約1000分の1ですから、とても薄いのですが、11km（11000m）の大気の底に住む人間にとってはとても厚い層といえます。

大気には重さがあります。地表1m²（1平方メートル）のうえにのる大気は約10000kg（10トン）にもなります。

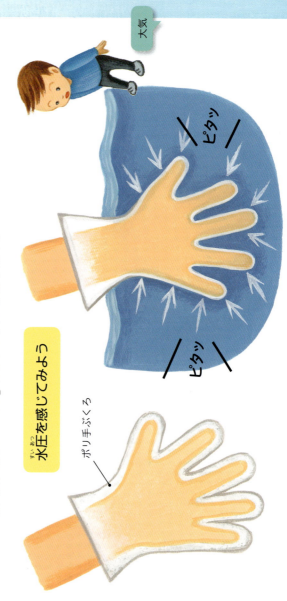

大気

ピタッ

ピタッ

水圧を感じてみよう

ポリ手ぶくろ

うすいポリエチレン製の手袋をはめて、手を水のなかにいれると、手袋がぴったりと手に吸いついてきます。手袋がまわりの水からおされるためです。こうした水のはたらきを「水圧」といい、水のなかのすべての物は水圧による力を受けます。

大気は1m²あたり10トンの重さ

ペットボトル

ワインキーパー（上の写真）でカンのなかの空気をぬきます。

ペットボトルでおなじぐらいのなかの空気をぬくと、もっとはげしくつぶれます。

ワインキーパー

上の実験のように、水のなかには水圧があります。同じように、大気のなかには大気圧（気圧）があります。物体のあらゆる面は、大気圧による力を受けます。このことを、アルミカンを使ってたしかめてみましょう。

グシャ

グシャ

やがてカンは気圧が高いほうから低いほうに向かってつぶれてしまいます。

アルミカン

アルミカンの外の大気圧となかの気圧は、図の矢印のように同じ大きさでおし合っています。

なかの気圧が低くなって、カンの外の気圧とのあいだに圧力の差ができます。

大気圧の大きさ

水圧(すいあつ)は深くなるほど高く(大きく)なります。上にのる水の量が増えるほど水圧が高くなるのです。それをペットボトルに水を入れてたしかめてみましょう。

ペットボトルに、
底から上にむかって穴(あな)を3つ開(あ)けます。
穴のあいている高さから上の水の量は、
下のほうほど増えます。
したがって水圧も下の穴のほうが高くなるので、
水が穴からでる勢(いきお)いが下にいくほど
強くなります。　(写真　伊知地国夫)

ふもとのポテトチップスの袋

2000mの山の上のポテトチップスの袋

上の実験でたしかめることができます。下の写真の をぬけるつけもの容器(ようき)のなかに、小さな菓子袋を入れ のなかには空気が入っています。ポンプで容器のなか ていきます。すると、容器のなかの気圧が低くなり、菓 の空気とのあいだに気圧差ができます。そのため、気圧 袋のなかの空気が外側の空気をおして袋がふくらみます。

容器のなかの空気をぬくと…

大気圧の大きさを測る

　大気圧を測る装置を気圧計といいます。さまざまな気圧計がありますが、右の写真はそのうちのひとつで「アネロイド気圧計」です。

　ある場所の大気圧の大きさはその上にのる大気の量で決まってきます。1 m²（1平方メートル）の上にのる大気の量が約10000kg（10トン）ある場合の大気圧を1000hPa（ヘクトパスカル）といいます。もし1 m²の上にのる大気の量が10200kgであれば1020hPaです。大気圧は時間とともに、ほぼ900～1030hPaのあいだで変化します。

　世界各地で同じ時間に地上の大気圧を測り、それを海水面の高さの大気圧に直し、大気圧が同じ大きさの地点を線で結んだものを「等圧線」といいます。等圧線は下の図のように4hPaごとに書き、20hPaごとに太い線でかきます。

　等圧線をかくと、まわりより大気圧が高いところと低いところがわかります。大気圧が高いところを高気圧（図の高）、低いところを低気圧（図の低）といいます。

▲アネロイド気圧計

右の図は、海面からの高さ（高度）と大気圧の関係を示しています。ある高さの大気圧は、その高さより上にある大気の量で決まるので、高くなるほど大気圧は低くなります。

地表の気圧が1000hPaだった場合、高さ2000mで約800hPa、高さ3776mの富士山で約650hPa、高さ8850mのエベレストで約300hPaまで下がります。

私たちが飛行機に乗っているときは、高さ10000mあたりにいます。外の気圧は約200hPaしかありませんが、飛行機のなかは地表より少し低い気圧（800hPa）に保たれています。

高度が高いほど気圧は低い

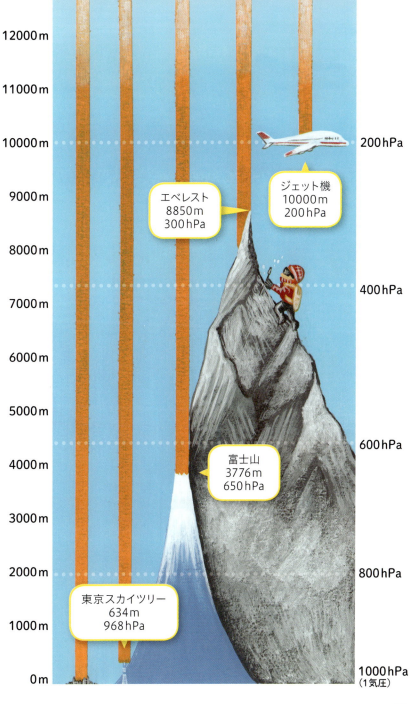

風は大気圧が高いほうから低いほうへ吹く——風を起こす力

水は水圧が高いほうから低いほうに移動します。下の図のような、かんたんな実験でたしかめてみましょう。

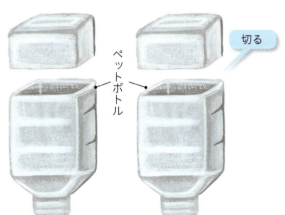

大きいペットボトルの底を切りとる。2つつくる。

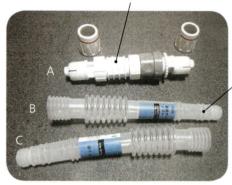

口に取りつけるノズルとコックつきのつぎ手
※どれもホームセンターで購入できます。

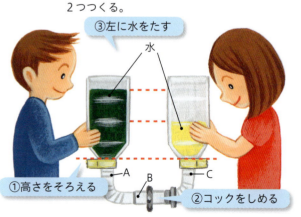

2つのペットボトルの高さをそろえて、水を入れ、コックをしめる。左側に水を加えて、水面を高くして、緑色の食紅で色をつける。右側の水は黄色い食紅で色をつける。

コックをはずすと、水圧が高い緑色の水から、水圧の低い黄色の水のほうへ水がながれて、水面の高さが同じになる。

海風を気圧の差で考えてみよう

水圧と同じように、大気も地表面から同じ高さの面で大気圧に差ができると、高いほうから低いほうへ移動します。右の図の線は等圧線（16p）で、地表面（1000hPa）から高くなるにつれて、大気圧が4hPaずつ減っていくことを示しています。この場合、どの高さでも気圧は同じなので、大気は移動しません。つまり風が吹かない無風状態です。

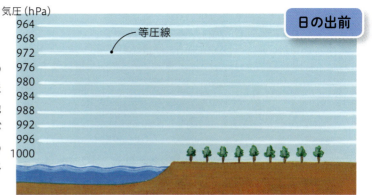

太陽が出て地表を照らすと、右の図のように陸側の気温が上がり大気がふくらみます。地表面の気圧は変わりませんが、上空では大気がふくらんで等圧線があがり、同じ高さの大気に気圧差ができます。こうして、上空では気圧が高い陸側から海側へ風が吹きます。

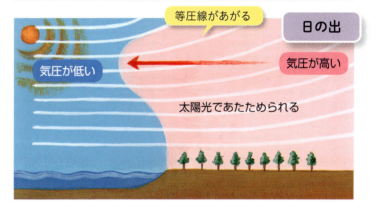

上空で海へ風が吹くと、右の図のように上空から海へ大気が加わって、海上の気圧は高くなります。いっぽう、陸側は移動して大気が減った分だけ気圧は低くなります。こうして、地表の大気に気圧差ができ、気圧の高い海側から気圧の低い陸側へと風が吹きます（海風）。

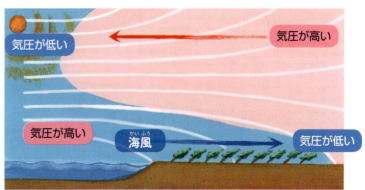

地上で風を吹き出す高気圧、風が吹き込む低気圧

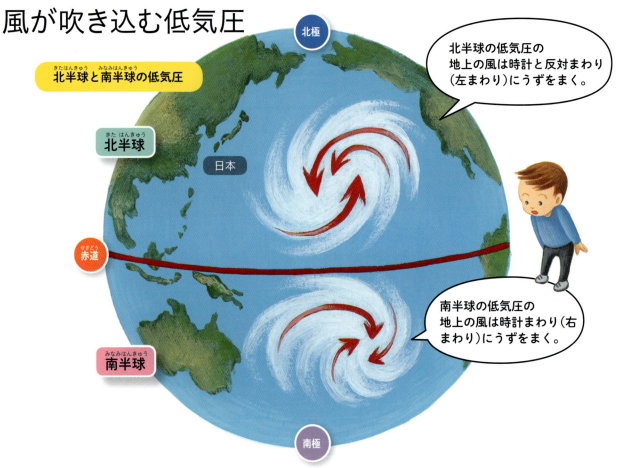

北半球と南半球の低気圧

北半球の低気圧の地上の風は時計と反対まわり（左まわり）にうずをまく。

南半球の低気圧の地上の風は時計まわり（右まわり）にうずをまく。

　北半球では、高気圧から右まわりに風が吹き出し、低気圧には左まわりに風が吹き込みます。風がうずをまくのは、地球が自転しているためです。南半球では、うずのまく向きが逆になります。

下の図のように、高気圧は、上空から風が吹き込んで、下降して地上へ吹き出します。低気圧のほうは、地上から風が吹き込んで、上昇し、上空へ吹き出していきます。
　上昇する大気を「上昇気流」、下降する大気を「下降気流」といいます。

　つまり、上空から風が吹き込んで、大気が加わる地上は高気圧になります。逆に、上空へ風が吹き出して、大気が減る地上は低気圧になります。
　地上では、風が吹き出す高気圧から、風が吹き込む低気圧へと風が吹きます。

地上では高気圧から低気圧へ風が吹く

地球のあたためられ方

地球は北極と南極をむすぶ軸（地軸）を中心に、北極のほうから見ると時計の針の反対まわり（左まわり）に自転しています（①巻4ページ参照）。赤道は北極と南極の中間地点にあたる線です。赤道からの角度を「緯度」といい、赤道からどのくらいはなれているかを示しています。

右の図の黄色のおびは、同じ面積の地面が受ける太陽の光の量です。図のように、太陽の光を受ける角度によって、光の量がちがってきます。それがもっとも多いのが赤道で、緯度が高くなって北極に近づくほど少なくなります（次ページの図）。したがって気温も赤道がもっとも高く、北極がもっとも低くなります。南半球も同じです。

受ける光の量から赤道と極（北極・南極）との気温差を計算すると約100℃になります。この気温差によって赤道と極のあいだで大気の移動が起こり、実際の気温差は約50℃になっています。平均気温は赤道で約26℃、極でマイナス23℃です。

とはいっても、約50℃の気温差は自然に大きな影響をあたえます。たとえば赤道近くの島々は熱帯雨林におおわれていますが、極地方は氷でおおわれています。そこで、気温のちがいによってあたたかいほうから、熱帯、温帯、寒帯と分けています。緯度では、赤道〜緯度23°のあいだを熱帯、緯度23°〜66°のあいだを温帯、緯度66°〜極までを寒帯としています。日本は温帯に位置しています。

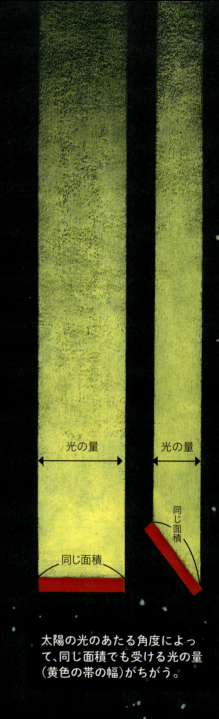

太陽の光のあたる角度によって、同じ面積でも受ける光の量（黄色の帯の幅）がちがう。

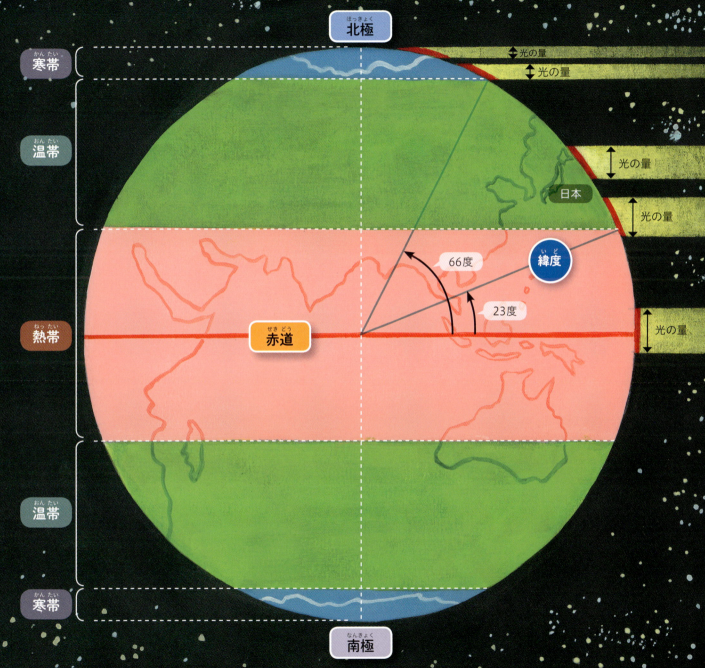

赤道から極へ、極から赤道へ
―― 地球規模で吹く風

　風は同じ高度の大気圧が高いほうから低いほうへ吹き、気温差を小さくします。同じメカニズムで地球をとりまく大規模な風が吹いています（大気の大循環）。

　大気がもっとも高温になるのは赤道の付近で、もっとも低温になるのは極（北極・南極）の付近です。高温の大気ほどふくらんで上昇します。右の図のように、大気の高さは赤道の付近がもっとも高く（約18km）、極の付近がもっとも低く（約9km）なっています（※右の図では高さを2000倍以上に強調しています）。

　上空の気圧は、大気がふくらんでいる赤道の付近が高く、大気がちぢんでいる極の付近が低くなっています。上空の風はもっとも気圧が高い赤道上空から、もっとも気圧が低い極上空へと吹きます（図の赤い矢印の線）。

　地表付近の気圧は、上空へ大気が出ていく赤道の付近が低く、上空から風が入って大気が下降してくる極の付近が高くなります。そのため、地上の風はもっとも気圧が高い極の付近から、もっとも気圧が低い赤道の付近へと吹きます（右の図の青い矢印の線）。

　このように、赤道付近の高温の大気が熱を伝えながら上空を極の付近まで移動し、極付近の低温の大気が熱を受けながら赤道付近まで地表付近を移動します。こうして、赤道と極の地表の気温差を約50℃にたもっているのです。

　しかし、これらの風は地球の自転の影響を受けるので、実際は右の図のようにもっと複雑になります（熱帯から寒帯へ、寒帯から熱帯へ吹く風だけを示しています）。図の太く赤い矢印の線が赤道上空から極上空に吹く風ですが、温帯では地上を吹いています。図の太く青い矢印の線が極の地表から赤道の地表に吹く風ですが、温帯では上空を吹いています。

　地球規模でも、下降気流がある地上は高気圧、上昇気流がある地上は低気圧になっています。低気圧ができる場所は赤道の付近と、温帯と寒帯のさかい目付近（図の青色の横線）、高気圧ができるのは熱帯と温帯のさかい目付近（図のピンク色の横線）と極の付近です。

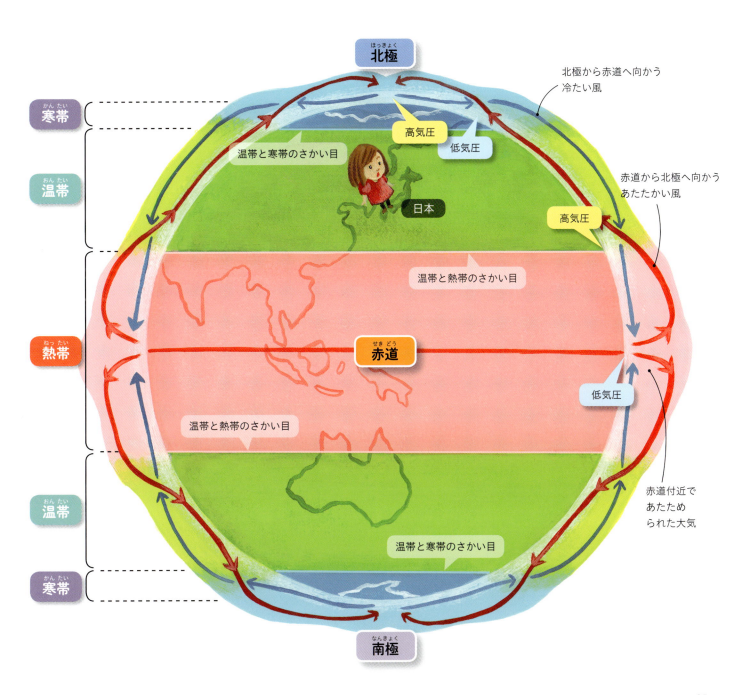

夏のしめった暑い風は
太平洋高気圧から吹いてくる

　日本では夏になるとしめった暑い風が吹いてきて、冬になると冷たい風が吹いてきます。これには地球が1年で太陽のまわりをまわる「公転」と、地軸のかたむきが関係しています。

　地球が太陽のまわりをまわる道を「公転軌道」といいます。下の図のように、地軸は公転軌道に垂直ではなく約23°同じ方向にかたむいた状態で太陽のまわりをまわっています。地球が太陽から受ける光の量(図のA)は1年中同じですが、地軸がかたむいているために、北半球が受ける光の量(図のB)は夏と冬で極端にちがいます。つまり、北半球が受ける光の量が一番多いときが北半球の夏、一番少ないときが北半球の冬なのです。秋と春はその中間です。

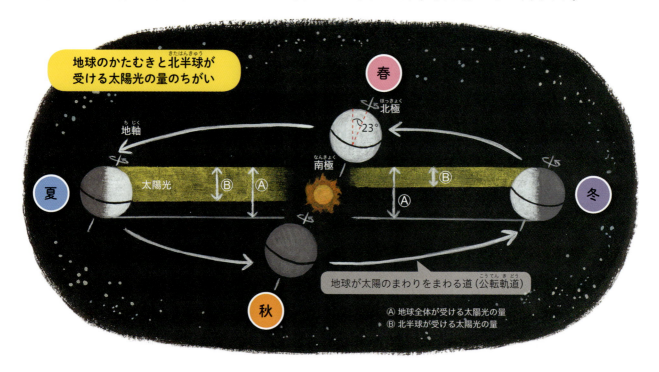

地球のかたむきと北半球が受ける太陽光の量のちがい

Ⓐ 地球全体が受ける太陽光の量
Ⓑ 北半球が受ける太陽光の量

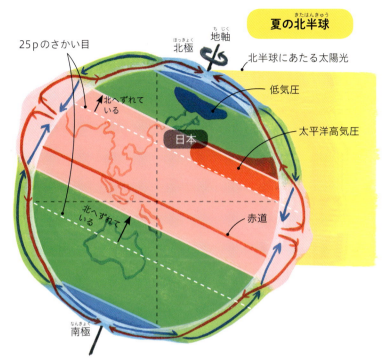

左の図は、夏の北半球です。受ける光の量が年間で最大になります。夏の地球規模の風は図の赤と青の矢印のように吹いています（熱帯から寒帯に向かう風と寒帯から熱帯に向かう風だけを記入してあります）。

25pの同じ図と見くらべてみると、熱帯と温帯のさかい目を示すピンク色の横線が大きく北のほうへずれています（点線が25pの位置）。

このさかい目には地上に吹き込む下降気流があるので、高気圧（太平洋高気圧＝亜熱帯高気圧）ができます（図の赤色の部分）。

右の図は夏の日本付近の等圧線を示しています。日本の東にある高気圧が太平洋高気圧です。日本の北には温帯と寒帯のさかい目（上の図の青い線）があり、上昇気流が発生して低気圧ができています。日本の南に高気圧があり北に低気圧があるので「南高北低の気圧配置」といいます。日本の南半分は、この太平洋高気圧におおわれます。右の図のように、夏は高気圧から北の低気圧に向かってしめった暑い風が吹くので、日本中がむし暑くなります。

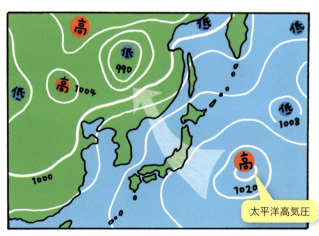

夏に太平洋高気圧から吹いてくるしめった暑い風

冬の冷たい風は
シベリア高気圧から吹いてくる

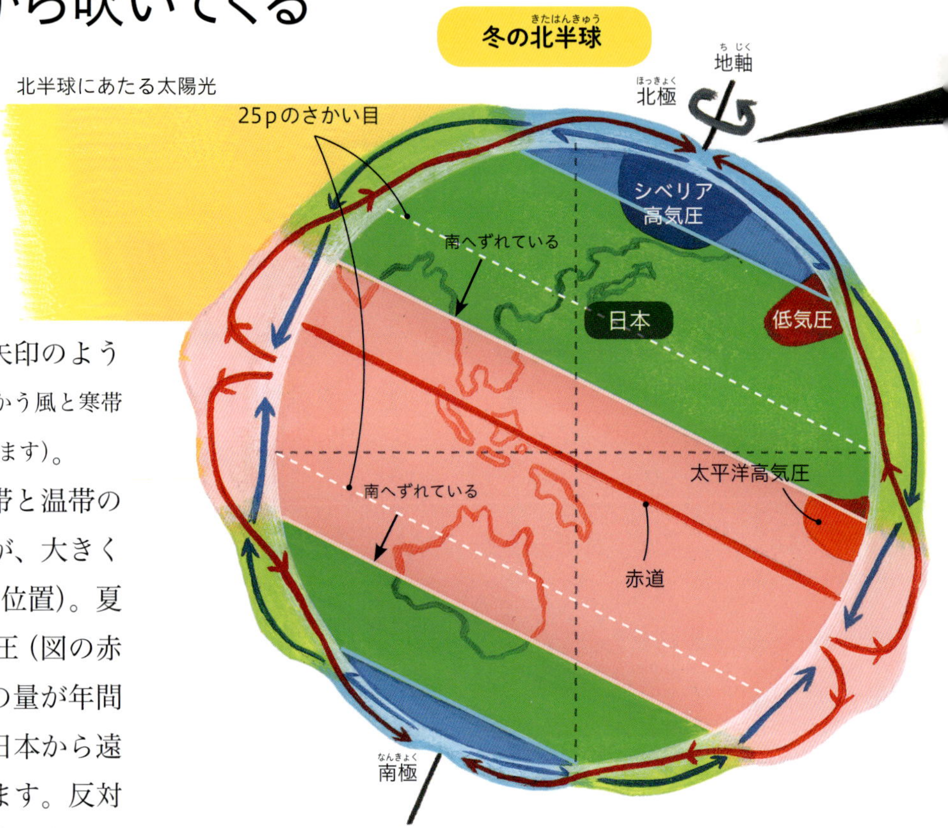

冬の北半球

北半球にあたる太陽光
25pのさかい目
地軸
北極
シベリア高気圧
南へずれている
日本
低気圧
南へずれている
太平洋高気圧
赤道
南極

　冬の地球規模の風は右の図の矢印のように吹いています（熱帯から寒帯に向かう風と寒帯から熱帯に向かう風だけを記入してあります）。

　25pの図と見くらべると、熱帯と温帯のさかい目を示すピンク色の横線が、大きく南へずれています（点線が25pの位置）。夏に暑い風を吹かせた太平洋高気圧（図の赤い部分）は、北半球が受ける光の量が年間で最小になるために弱くなり、日本から遠く離れた太平洋の東に退いています。反対に北極の高気圧（シベリア高気圧）は発達して強力になっています。北極の高気圧が発達するのは、北半球が受ける光の量が最小になるという理由のほかに、大陸は冷めやすいということも原因になっています。

　そのため、冷やされた大気が広い範囲にたまり、大気の高さを低くし、大陸の上空の気圧を下げます（右上の図）。そこへ南の海の上空から風が吹き込みます。上空に加わる大気が多くなるので、地上は強い高気圧になります。

北極の大気の高さは低くなりまわりから風が吹きこんで地表の気圧は高くなる

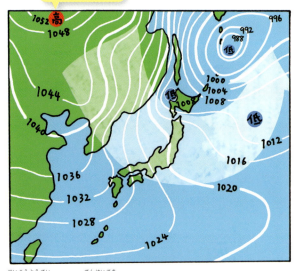

西高東低、冬の典型的な気圧配置。シベリア高気圧から冷たい風が吹いてくる。

　右の図は日本付近の冬の等圧線を示しています。日本の西の大陸の高気圧が「シベリア高気圧」です。日本の東の太平洋には温帯と寒帯のさかい目（左の図の青い横線）があり、そこでは上昇気流が発生するので低気圧ができています。日本から見て西に高気圧があり東に低気圧があるので「西高東低の気圧配置」といいます。

　西のシベリア高気圧から東の低気圧に向かって冷たい風が吹き、日本はその通り道にあたります。冬の日本に吹く冷たい北風は、シベリア高気圧からやってくるのです。

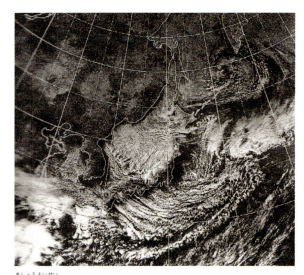

気象衛星がとらえた、日本列島を吹きぬけるシベリア高気圧からの冷たい寒気。（1990年1月25日、気象庁）

上空を吹く高速の風
── ジェット気流

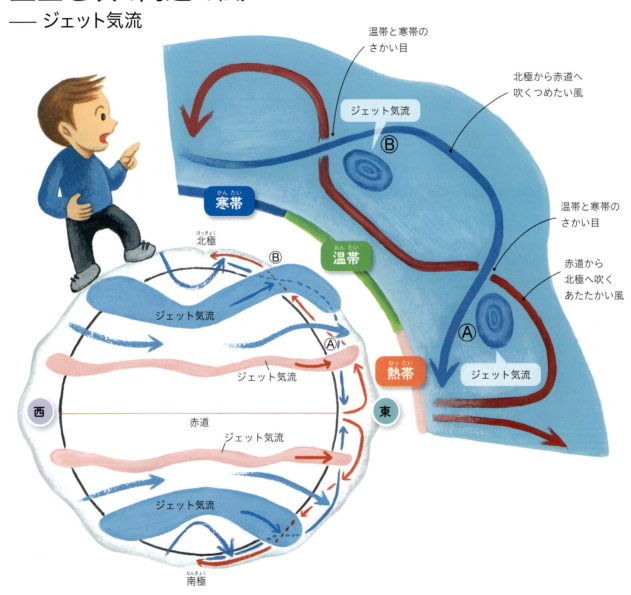

左の図は、地球の上空を吹く風をあらわしています。上空は赤道付近をのぞいて、どこでも西風(西から東へ吹く風)になっています。上空の気圧差が大きいのは、大気の高さに差がある熱帯と温帯の境目(図のA)と温帯と寒帯の境目(図のB)で、そこでは高速のジェット気流が吹いています。Aにできるものを「亜熱帯ジェット気流」、Bにできるものを「寒帯前線ジェット気流」といいます。とくに寒帯前線ジェット気流は時速360km(秒速100m)以上で、新幹線より速いスピードです。

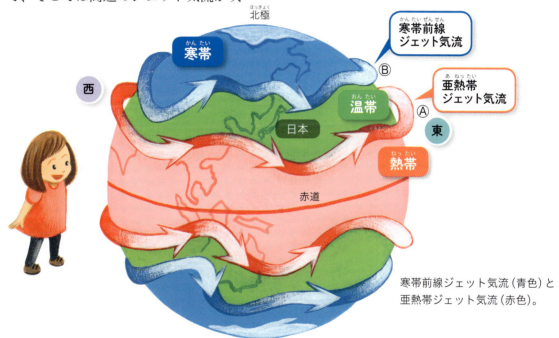

寒帯前線ジェット気流(青色)と亜熱帯ジェット気流(赤色)。

　上の図は、寒帯前線ジェット気流と亜熱帯ジェット気流の平均的な位置を示しています。日本を飛び立ったジェット機が東へ向かうときは、ジェット気流にのると速さが増して、目的地に早くつきます。反対に東から日本に帰るときにはジェット気流が向かい風となるので、遅くなって、時間がかかります。ですからパイロットは、ジェット気流が吹く位置をとても意識しています。

台風の生まれ方

宇宙から見た台風、右回りに風を吹き出している。（NASA）

　台風は熱帯でできた低気圧（熱帯低気圧＝トロピカルサイクロン）が発達したものです。右ページの天気図をみると、日本付近に台風26号が近づいています。台風の等圧線が円のようになっていて、こみあっています。これは大気圧が台風の中心にむかって急激に低くなって、風が強く吹き込んでいることを示しています。

台風は北半球の低気圧ですから、中心に向かって吹きこむ風は反時計まわり（左まわり）です。吹きこんだ風は下の図のように反時計まわりのうずをまきながら上昇し、上昇できなくなるところで時計まわり（右まわり）に吹き出しています。

　上空では上昇した大気の高さがまわりよりも高くなっています。大気の高さが高くなった分、同じ高さでくらべるとまわりより気圧が高くなっています。
　つまり台風は、地上では強力な低気圧ですが、上空では強い高気圧になっています。だから時計まわりに風を吹き出すのです。

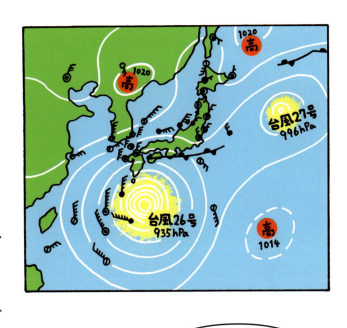

台風は、時計と反対まわりに風が吹き込み、上空では時計まわりに風が吹き出す。

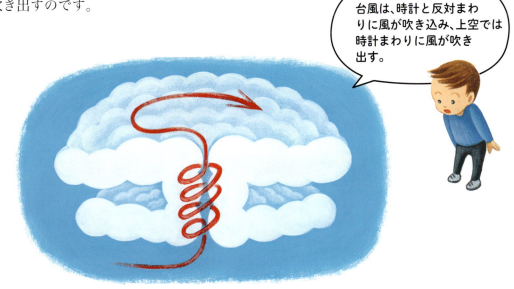

台風のふるさとと進路

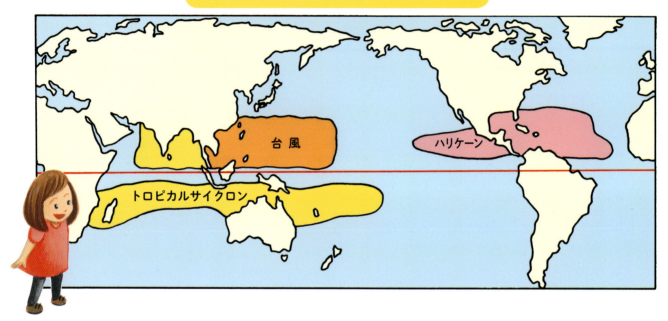

熱帯低気圧が発達する場所で呼び方がちがう

　上の図は、各地の熱帯低気圧ができる場所を色分けした世界地図です。

　熱帯低気圧ができるのは、熱帯のなかでも海水温が26〜27℃以上の場所です。ただし、赤道には熱帯低気圧はできません。赤道の上は地球の自転の影響を受けないために、上昇気流ができてもうずを巻かないからです。

　オレンジの地域の熱帯低気圧で風の速さが秒速17.2m以上になったものを「台風」といいます。さらに速さが秒速32m以上になると国際的に「タイフーン」（日本では台風のまま）と呼ばれます。ピンクの地域の熱帯低気圧で風の速さが秒速32m以上になると「ハリケーン」と呼ばれます。黄色の地域では熱帯低気圧の風の速さが秒速32m以上になっても、名前は熱帯低気圧（トロピカルサイクロン）のままです。

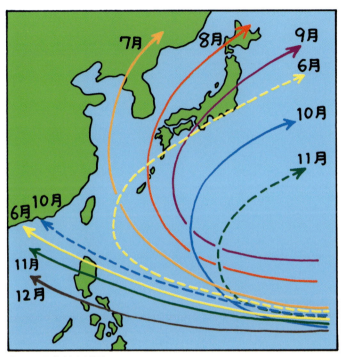

台風の平均的な進路

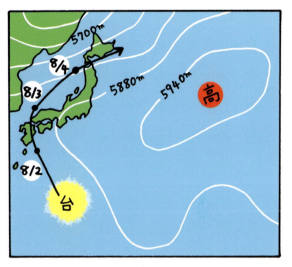

高層天気図で見た太平洋高気圧と台風。曲線は、500hPaの気圧が分布する高度をあらわしている。こうした高層天気図で見ると、台風が太平洋高気圧にそってすすむことがよくわかる。(2007年8月1日9時)

　左上の図は、季節ごとの平均的な台風の進路を示しています。図のように、日本に台風が上陸することが多いのは、8月と9月です。

　台風の進路は、上空の大気圧のようすで予想できます。右上の図は高層天気図といって、500hPa（ヘクトパスカル）の大気圧が分布する高さを示しています。地上の等圧線とはちがいますが、地上と同じように「高」というところが高気圧です。

　これが夏に強くなる太平洋高気圧（亜熱帯高気圧）です。台風はこの高気圧のへりをまわるように移動するので、進路を予想できるのです。

地上最強の風
―― たつまき（トルネード）

　たつまきの写真です。強い風がうずを巻きながら上昇し、かたちがろうと（漏斗＝右ページの下の図）のようになっています。うずの直径は数10mから数100mぐらいなので、全体のようすを写真に撮ることができる、規模の小さい突風です。
　寿命も、数10分から長くても1時間程度です。また、北半球の低気圧による上昇気流は必ず反時計まわりになりますが、たつまきのうずのまき方は、かならず反時計まわりというわけではなく、時計まわりの場合もあります。たつまきは、規模が小さいので地球の自転の影響を受けにくいからです。

あたたかく、しめった空気が上昇し、積乱雲が生まれる。

地上の風がうずをまきはじめる

　たつまきは、風の速さが時速360km（秒速100m）以上になることがあるので、たつまきが通ると、はば数10mから数100mにわたって建物がこわされるなど、大きな被害をともなうことがあります。

　アメリカでは、たつまきのことを「トルネード」と呼んでいます。日本より規模も大きく、ひんぱんに発生し、速さも時速540km（秒速300m）以上と地上最強になることがあり、被害も大きくなるので警戒されています。

　たつまきは、積乱雲という雷や突風をともなう雲の下にできる強い上昇気流なので、積乱雲をめやすにして発生を予測しています。

回転が細くなり、うずのスピードがはやくなる。

 ろうと

山をこえて、変身する風
―― フェーン現象

　かわいた風が山を登るときには、100m上がるごとに、気温が約1℃ずつ低下します。しかし、しめった風の場合には、100m上がるごと約0.5℃しか低下しません。しめった風は、気温が低下すると水蒸気が雲をつくるようになり、そのときに熱を出すので、風がその熱を受けて気温が低下する割合が小さくなるです。たとえば夏に気温20℃のしめった風が高さ2000mの山頂まで登ると、0.5℃×(2000m÷100m)で10℃低下して、10℃になり、雲が雨を降らした分、水蒸気もすくなくなります。

　この10℃の風が山を下るときには、雲は消え、気温は100m下るごとに1℃ずつ上がります。2000mの山を下ると、1℃×(2000m÷100m)で、気温は10℃から20℃上がって、30℃の暑いかわいた風になります。
　こうして、20℃のしめった風は、山を登り下りすることによって、30℃の暑いかわいた風へと変身します。こうした変化を「フェーン現象」といいます。

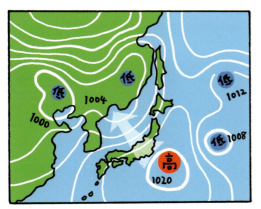

2009年3月18日、日本海側が季節はずれのあたたかさになったときの天気図。太平洋側の高気圧から日本海側の低気圧へ、風が吹いている。

フェーン現象で、太平洋側(東京)の気温20.7℃は、山をこえて、日本海側(金沢)の気温23.6℃まで上がる。

　日本は山ばかりなのでフェーン現象がどこでもたびたび起こります。たとえば春先の日本海側に低気圧があると、太平洋側から日本海側に流れ込む南風がフェーン現象を起こしてかわいて高温になり、雪解けをさそいます(上の図)。

　真冬の季節風が日本海側に雪を降らせ、乾燥して太平洋側に下りてくるのもフェーン現象ですが(下の図)、山を下りてかわいて気温が上がっても、もとの風が低温なうえ、降りてくる風が速いので、体感温度が下がって、冷たく感じます。

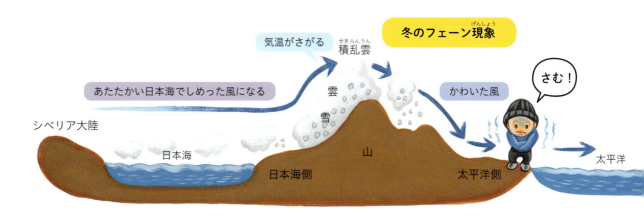

鈴木邦夫 すずき くにお

1953年生、新潟大学教育学部卒業。元公立中学校教師、現東京都市大学講師、科学教育研究協議会会員、雑誌『理科教室』編集委員。主な著書『くらべてわかる科学小事典』（共著・大月書店・2014年）、『学び合い高め合う中学理科の授業』（共著・大月書店・2012年）、『地震列島日本の謎を探る』（共著・東京書籍・2000年）、『たのしい科学の本 生物・地学』（共著・新生出版・1996年）、『新中学理科の授業 中学校3年』（共著・民衆社・1992年）、〔デジタルコンテンツシナリオ作成〕科学技術振興機構 理科ねっとわーく『地形と地層が教える現在・過去・未来』（2009年）。

大橋慶子 おおはし けいこ

1981年生まれ、武蔵野美術大学卒業。イラストレーター、絵本作家として雑誌や書籍で活動中。主な著書『そらのうえ うみのそこ』（TOブックス）、『もりのなかのあなのなか』（福音館書店「かがくのとも」）ほか。

そもそもなぜをサイエンス ②
風はどこから吹いてくる

2016年7月20日　第1刷発行

発行者　中川　進
発行所　株式会社 大月書店
　　　　〒113-0033 東京都文京区本郷 2-11-9
　　　　電話（代表）03-3813-4651　FAX 03-3813-4656
　　　　振替 00130-7-16387
　　　　http://www.otsukishoten.co.jp/

著者　　鈴木邦夫
絵　　　大橋慶子
デザイン　なかねひかり
印刷　　光陽メディア
製本　　ブロケード

ⓒ 2016 Suzuki Kunio　ISBN 978-4-272-40942-6 C8340
定価はカバーに表示してあります
本書の内容の一部あるいは全部を無断で複写複製（コピー）することは
法律で認められた場合を除き、著作者および出版社の権利の侵害となりますので、
その場合にはあらかじめ小社あて許諾を求めてください。